DE GRANDS POUVOIRS

marvel.com

Le jour se lève sur New York, et Spider-Man se balance à travers la ville. Soudain, une voiture de police se met à déraper dans la rue. Spidey se lance dans l'action. Il attrape la voiture et sauve le policier grâce à une toile d'araignée !

C'est à ce moment qu'apparaît le Piégeur.

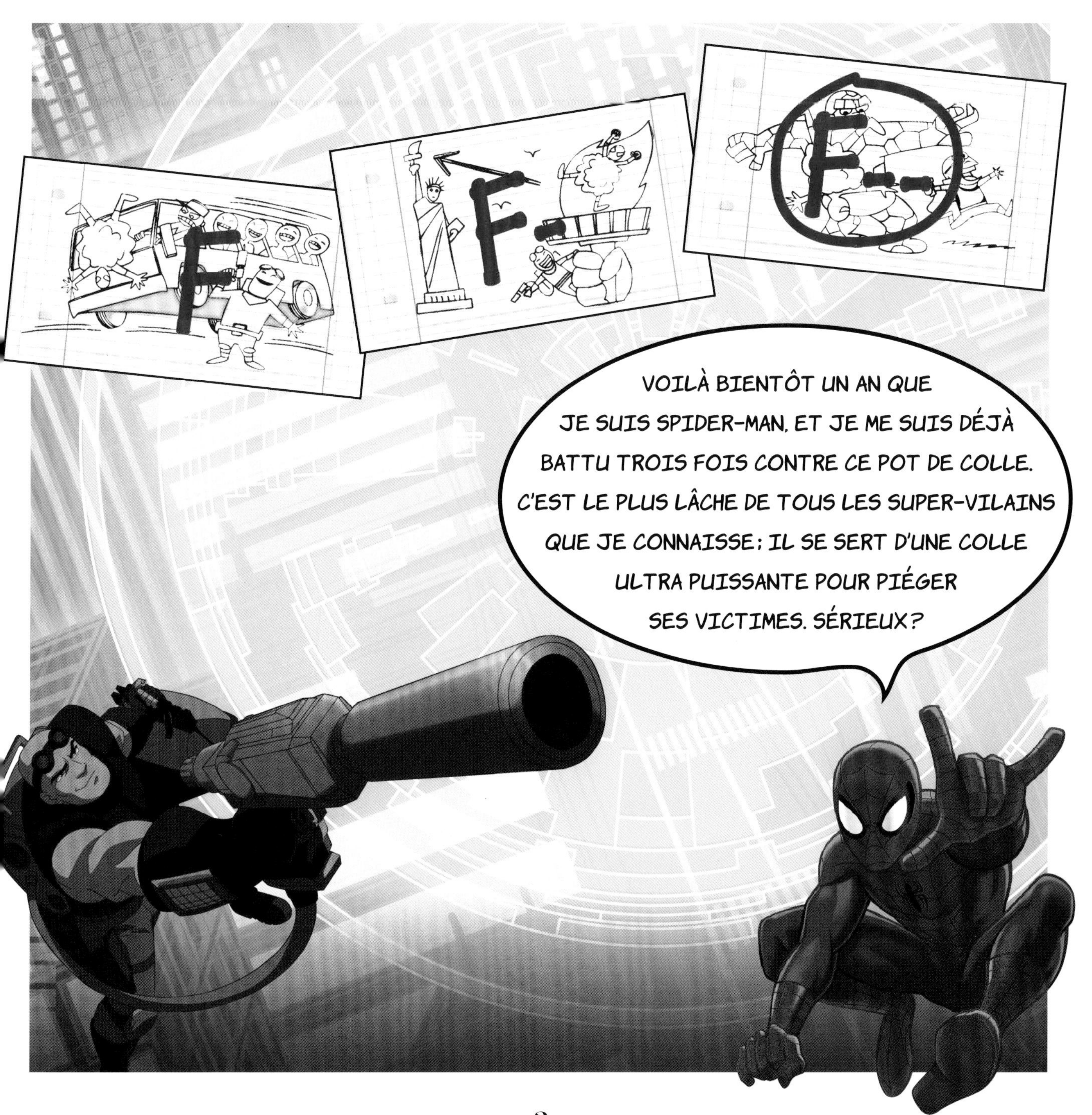
VOILÀ BIENTÔT UN AN QUE JE SUIS SPIDER-MAN, ET JE ME SUIS DÉJÀ BATTU TROIS FOIS CONTRE CE POT DE COLLE. C'EST LE PLUS LÂCHE DE TOUS LES SUPER-VILAINS QUE JE CONNAISSE ; IL SE SERT D'UNE COLLE ULTRA PUISSANTE POUR PIÉGER SES VICTIMES. SÉRIEUX ?

Le Piégeur passe à l'attaque ! Il lance des bombes collantes vers Spider-Man, mais le superhéros se sert de ses pouvoirs extraordinaires pour les esquiver. Puis, Spidey lance des toiles en direction du Piégeur, et neutralise le vilain dans sa propre colle !

Le Piégeur est soudain saisi d'effroi. Or, ce n'est pas Spider-Man qu'il regarde, mais plutôt un objet au-dessus de sa tête. Un très, très gros objet.

HÉ, MON SPIDER-SENS NE M'A PAS AVERTI! ATTENDEZ, VOUS IGNOREZ CE QU'EST LE SPIDER-SENS? C'EST COMME UN SYSTÈME D'ALERTE QUI SE DÉCLENCHE DÈS QU'IL Y A UN DANGER. MAIS POURQUOI NE S'EST-IL PAS ACTIVÉ CETTE FOIS-CI?
MOI

Spidey lève les yeux et aperçoit l'héliporteur géant du S.H.I.E.L.D. qui survole Manhattan. Lorsque Spidey se retourne, il se retrouve nez à nez avec Nick Fury, le directeur du S.H.I.E.L.D.

—Regarde autour de toi, Spider-Man, commence Fury. Est-ce que Captain America aurait fait pareil ? Non, Cap aurait attrapé le Piégeur en moins de cinq secondes. Il t'a fallu trois minutes, et avec beaucoup de dommages collatéraux.

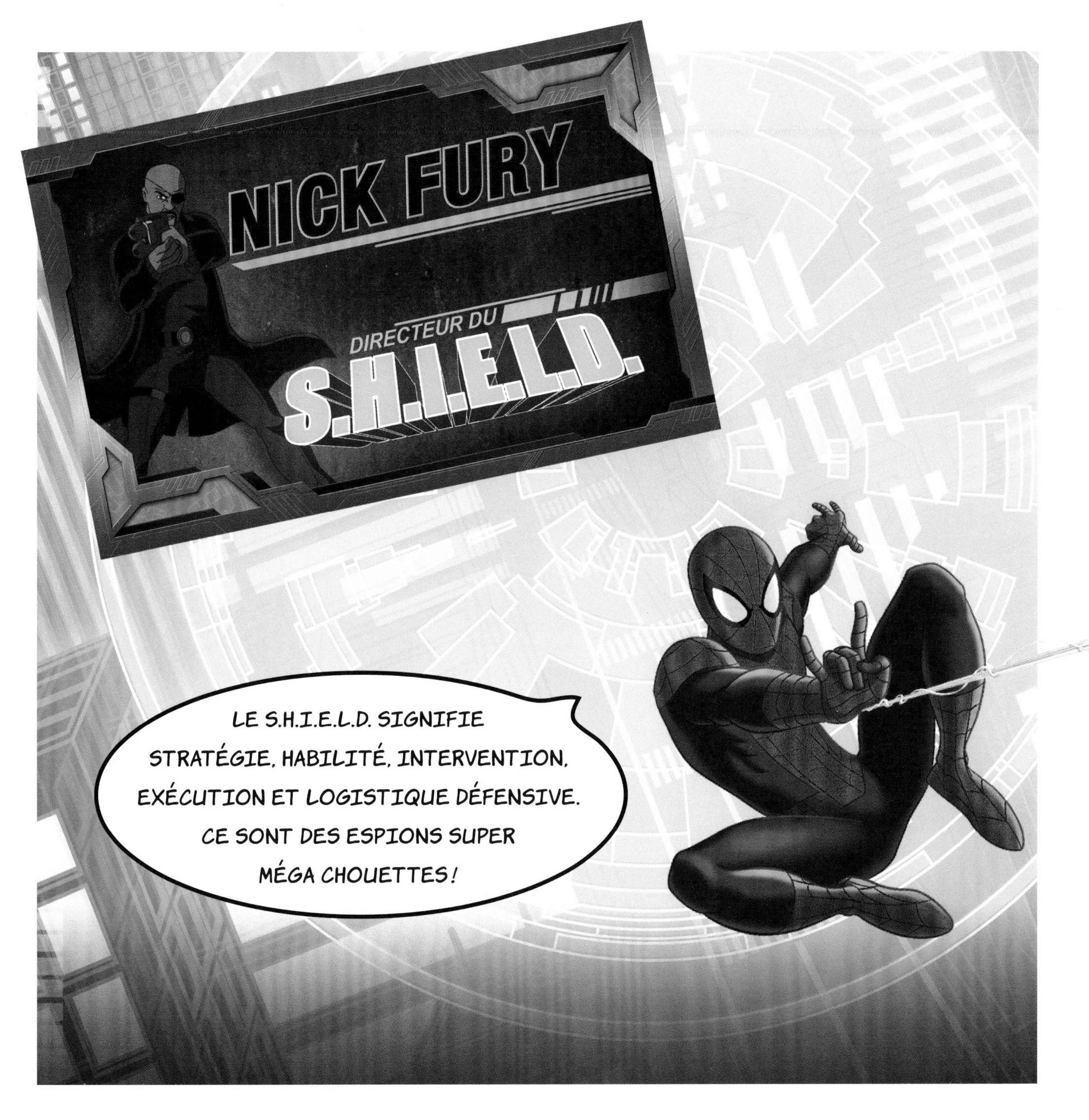
NICK FURY
DIRECTEUR DU
S.H.I.E.L.D.
LE S.H.I.E.L.D. SIGNIFIE STRATÉGIE, HABILITÉ, INTERVENTION, EXÉCUTION ET LOGISTIQUE DÉFENSIVE. CE SONT DES ESPIONS SUPER MÉGA CHOUETTES !

Fury regarde Spider-Man dans les yeux, et lui fait une proposition incroyable :

— J'aimerais que le S.H.I.E.L.D. t'entraîne à devenir un meilleur Spider-Man. Ultimate Spider-Man, dit Fury.

Mais Spidey refuse son offre. Tandis qu'il s'éloigne, Fury lui crie :

— Je suis sérieux, Peter Parker.

Peter se fige ! Nick Fury connaît l'identité secrète de Spider-Man. En fait, il sait tout à propos de Spider-Man !

WAOUH !
TU NE L'AVAIS PAS VUE VENIR
CELLE-LÀ, N'EST-CE PAS ?
OK, OK,
TOURNE LA PAGE.

Peter Parker a vécu une enfance ordinaire dans le quartier du Queens de New York, avec Oncle Ben et Tante May – jusqu'au jour où il s'est fait mordre par une araignée radioactive, qui lui a donné une force surhumaine.

Après l'assassinat d'Oncle Ben, Peter a décidé de mettre ses nouveaux pouvoirs au service de justes causes. Il a créé des lance-toiles et s'est fabriqué un costume. Spider-Man était né !

REGARDEZ – VOICI LE
CROQUIS DE MON CÉLÈBRE
COSTUME. PAS MAL, NON?

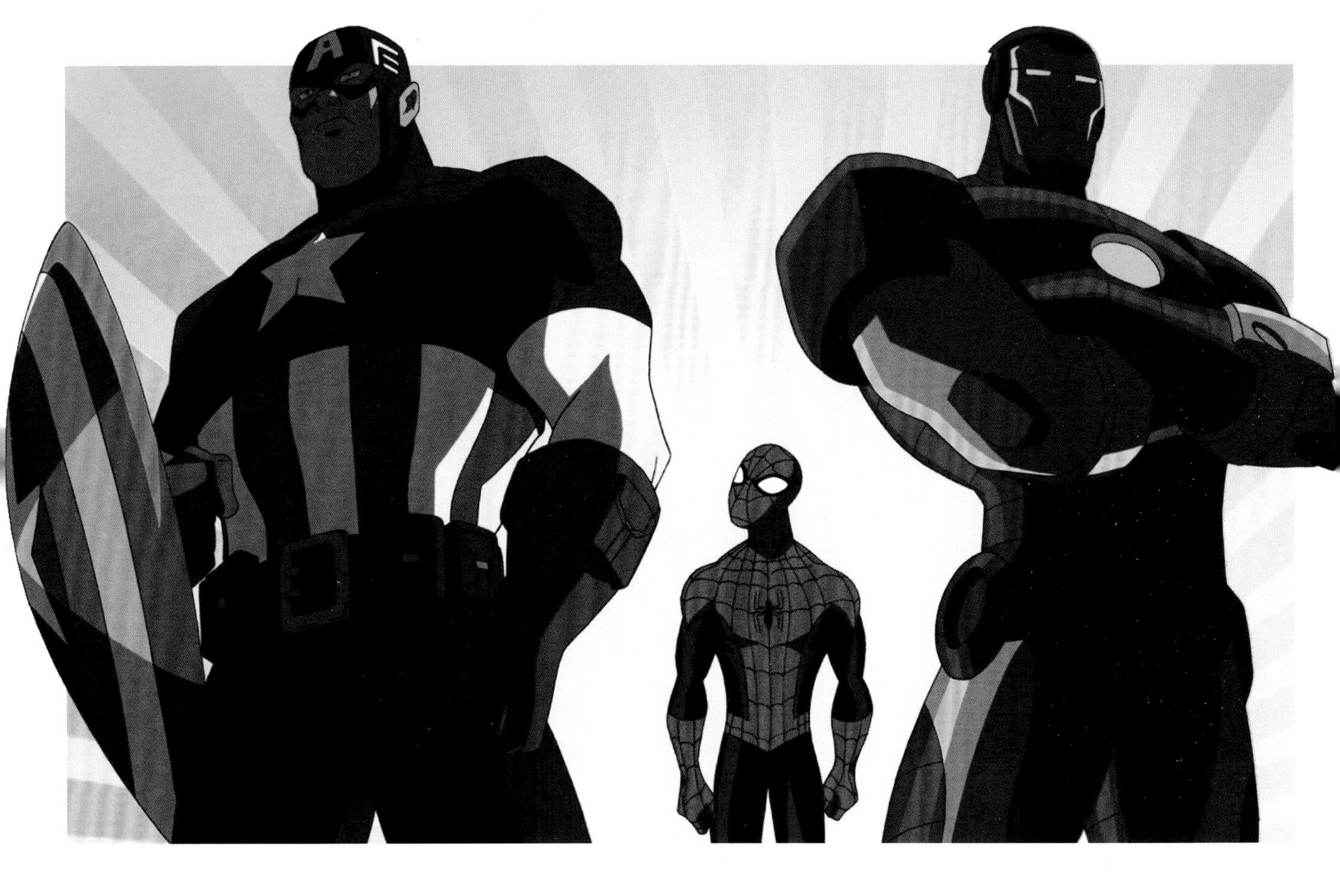

Pour convaincre Spider-Man de se joindre au S.H.I.E.L.D., Fury a donné un lance-toiles nouvelle génération à Peter.

— Avec ton talent et mon expertise, poursuit Fury, tu peux devenir un bien meilleur héros – le prochain Captain America, ou Iron Man. L'un des plus grands !

Spidey réfléchit. Puis il réalise qu'il est en retard pour le lycée.

—Merci pour la proposition, mais je n'ai pas le droit de parler aux étrangers, répond-il.

Sur ce, Spider-Man lance une toile et disparaît. Fury se demande si le superhéros va revenir sur sa décision.

À son arrivée au lycée, Peter aperçoit Mary Jane Watson et Harry Osborn, ses deux meilleurs amis.

Il tombe soudain nez à nez avec Flash Thompson, la superstar du football et la brute de service du lycée de Midtown. Flash ne rate jamais une occasion de malmener Peter, mais personne ne doit être au courant de l'identité secrète de Peter, pas même Flash.

Alors que Peter mange avec MJ et Harry, son Spider-Sens se met à tinter intensément. Au même moment, le mur à l'autre extrémité de la cafétéria explose, puis les Quatre Terrifics entrent dans la salle. Sauf qu'ils ne sont que trois.

— Avant d'être capturé, commence le Sorcier, le Piégeur a appris que Spider-Man fréquentait ce lycée. S'il ne se montre pas, nous détruirons cet endroit jusqu'à la dernière pierre !

CES INDIVIDUS = DANGER.
LE SORCIER: LE MAÎTRE DES GADGETS DE POINTE.
KLAW: UN VILAIN CONSTITUÉ D'ONDES SONORES.
THUNDRA: L'IMPITOYABLE GUERRIÈRE VENUE D'UNE AUTRE DIMENSION ALTERNATIVE – NE CHERCHEZ PAS!
ET LE PIÉGEUR – HÉ, UN INSTANT. JE L'AI DÉJÀ CAPTURÉ, LUI...

Peter s'enfuit en douce et enfile son costume de Spider-Man. Il doit neutraliser les vilains et protéger les élèves et les professeurs de l'école.

Spidey lance une toile vers Klaw et retourne les ondes sonores du vilain contre lui.

Puis, le tisseur de toiles grimpe au plafond et bondit tout droit sur Thundra.

—Hé, Thundra, crie Spidey. L'araignée dit que tu files un mauvais coton.

Les vilains unissent leurs forces, et se lancent à l'attaque !

Spidey doit réagir vite ! Il projette une toile sur la main de Klaw et utilise l'onde sonore contre Thundra. Puis, il lance une multitude de toiles vers le Sorcier et l'envoie rejoindre ses deux acolytes qui gisent au sol.

C'est à ce moment que la police arrive, ce qui permet à Spidey de s'enfuir et de remettre ses vêtements habituels.

PENDANT LA BATAILLE, FLASH THOMPSON M'A DIT QU'IL ÉTAIT LE PLUS GRAND FAN DE SPIDEY... JE L'AI DONC PIÉGÉ ET ENFERMÉ DANS UN CASIER. QU'EST-CE QUE ÇA FAIT DU BIEN!

Après l'attaque au lycée, Peter repense à la proposition de Fury de se faire entraîner par le S.H.I.E.L.D. pour devenir un meilleur héros.

Spider-Man a agi comme un débutant. Il a mis sa vie et celle des élèves du lycée en danger.

Si les super-vilains avaient découvert l'identité secrète de Spider-Man, Tante May aurait aussi été en danger.

Nick Fury a raison. Spider-Man possède de grands pouvoirs, mais il ne les utilise pas à leur pleine capacité. Il ne doit pas se contenter d'être Spider-Man – il doit être Ultimate Spider-Man. Il décide donc d'aller rendre visite à Fury dans l'héliporteur du S.H.I.E.L.D.

Spider-Man se balance à travers la ville, et se pose sur le toit de l'héliporteur.

— Votre fidèle serviteur, Ultimate Spider-Man, au rapport, chef ! dit Spidey à Nick Fury en retirant son masque.

— Bienvenue au S.H.I.E.L.D., répond Fury. J'espère que tu survivras à ton expérience.

Peter Parker déglutit. L'aventure ne fait que commencer !

FIN!
OU PAS TOUT
À FAIT.